Dans la même série :

Alice au Pays des Merveilles
La Belle au bois dormant
Le Chat botté
Le Joueur de flûte de Hamelin
Le Vilain Petit Canard
Ali Baba et les quarante voleurs
Pinocchio
Peter Pan
Cendrillon
La Princesse et le petit pois
Sinbad le marin
Le Petit Chaperon rouge

Adaptation : Hélène Costes

© 1987 Tuffy Books, Inc.,
Tuffy Story Books est une marque déposée de Tuffy Books, Inc.
© 1988 Éditions G.P., Paris pour la France
© 1988 Éditions Héritage pour le Canada
Dépôt légal pour la France n° 4743 - Octobre 1988
ISBN pour la France 2-261-02351-0
Imprimé à Singapour

Contes de fées

Cendrillon

d'après Perrault

I L ÉTAIT une fois une jeune fille très douce. Elle vivait avec sa marâtre qui avait deux filles.

Tous les jours, elle devait frotter le plancher de la cuisine et nettoyer la cheminée. Comme elle était toujours couverte de suie et de cendres, on l'appelait Cendrillon.

Un jour, le roi et la reine invitèrent toutes les jeunes filles du royaume à un grand bal. Ils désiraient que le prince, leur fils, choisisse une épouse.

Quand l'invitation arriva à la maison de Cendrillon, sa marâtre et ses deux sœurs ne se tinrent plus de joie.

« Mes chères filles, l'une de vous deux épousera le prince ! » dit la marâtre.

Elles ne montrèrent même pas l'invitation à la pauvre Cendrillon.

« A quoi bon ? dirent les deux sœurs. Elle est loin d'être aussi jolie que nous. »

Les deux sœurs passèrent des journées entières à s'apprêter pour le bal. Elles se demandaient comment elles allaient s'habiller. Elles avaient tant de beaux atours que le choix était difficile.

Elles passèrent des heures devant leur miroir. Elles changèrent maintes et maintes fois de toilette. Elles n'arrivaient même pas à se décider pour leur coiffure. Rien ne leur semblait assez beau.

Les deux sœurs traitaient Cendrillon comme une servante. Elles lui faisaient laver et repasser leur linge, et coudre de nouveaux habits. Elles ne lui disaient jamais merci.

Enfin, le jour du bal arriva. Les deux sœurs et leur mère laissèrent Cendrillon toute seule à la maison.

Cendrillon était si triste qu'elle se mit à pleurer. Soudain, une bonne fée apparut à la fenêtre. « Ne pleure pas, Cendrillon », dit-elle.

« Tu voudrais bien aller au bal, n'est-ce pas ? » dit la bonne fée.

« Oh, oui ! soupira Cendrillon. Mais je n'ai ni jolis habits à me mettre, ni carrosse pour m'y rendre. »

« Je vais m'en occuper, dit la fée. Apporte-moi une citrouille. »

Cendrillon partit en chercher une.

La bonne fée donna un coup de sa baguette à six petites souris : elles se changèrent en six beaux chevaux.

« Voilà tes chevaux », dit la fée quand Cendrillon revint du jardin avec une belle citrouille orangée.
« Maintenant, pose la citrouille par terre, et tu auras en plus un élégant carrosse. »

D'un coup de sa baguette, la bonne fée changea la citrouille en un beau carrosse tout doré.

Elle changea les haillons de Cendrillon en habits de drap d'or et d'argent. Et un rat qui passait fut changé en cocher.

« Eh bien, voilà de quoi aller au bal ! dit la bonne fée. Tu as un carrosse et un cocher, six chevaux, une robe de princesse… et voici des pantoufles de vair. »

Alors, la bonne fée regarda Cendrillon droit dans les yeux. « Mais fais attention ! Il faudra quitter le bal avant que minuit sonne à l'horloge du palais. »

Les chevaux partirent au galop et Cendrillon fut vite au palais.

Dès qu'elle entra, le prince ne vit plus qu'elle. « Qu'elle est belle ! » dit-il tout bas.

Le prince courut accueillir Cendrillon, et la pria de danser avec lui.

Le prince ne quitta pas
Cendrillon un seul instant et dansa
toute la soirée avec elle.

Les deux sœurs regardaient
Cendrillon avec envie. Elles
n'avaient pas reconnu la jeune fille
qu'elles traitaient si mal.

Cendrillon était si heureuse
qu'elle ne vit pas le temps passer.

Soudain, l'horloge du palais fit
entendre le premier coup de minuit.

Cendrillon se souvint des paroles
de la bonne fée, et s'enfuit en
courant du palais.

Dans sa hâte, elle perdit l'une
de ses petites pantoufles de vair
sur les marches du palais.

Le prince la suivit, mais ne put la rattraper. Il ramassa soigneusement la petite pantoufle de vair.

Le dernier coup de minuit sonna juste au moment où Cendrillon arriva chez elle. Aussitôt, le carrosse redevint citrouille, le cocher redevint rat, et les six chevaux se changèrent en six petites souris.

Bien des jours passèrent. Le prince ne parvenait pas à oublier la belle jeune fille avec laquelle il avait dansé. Tous les jours, en regardant la pantoufle de vair, le prince espérait qu'elle reviendrait.

Pour retrouver la jeune fille,
le roi et la reine firent proclamer
que le prince épouserait celle qui
pourrait mettre la petite pantoufle
à son pied.

Les deux sœurs essayèrent
de mettre la pantoufle, mais elles
avaient de trop grands pieds.

Le Premier ministre était déjà passé dans toutes les maisons du pays pour faire essayer la pantoufle. Comme il quittait la maison de Cendrillon, il aperçut la jeune fille assise dans un coin.

« Ne voulez-vous pas essayer la pantoufle de vair ? » demanda le Premier ministre.

Les deux sœurs éclatèrent de rire. « Elle ! dirent-elles. Mais ce n'est qu'une souillon. Comment serait-il possible qu'elle puisse enfiler cette pantoufle ? »

Mais, à leur grand étonnement, la petite pantoufle de vair s'ajusta parfaitement au pied de Cendrillon.

Le prince épousa Cendrillon.
La nouvelle princesse, qui était
aussi bonne que belle, pardonna
à sa marâtre et à ses deux sœurs.
Elle les invita à venir vivre au palais.
Et ils y vécurent tous heureux.